上·海·美·影·经·典·故·事·丛·书

金色的海螺

童趣出版有限公司编 人民邮电出版社出版

W9-BLC-778

Zài
在 lánlán de dàhǎi shang, Yǒu yī zuò shānhú xiāndǎo,
蓝蓝的大海上，有一座珊瑚仙岛，
dǎo shang zhùzhe xǔduō měilì de xiānnǚ, zuì měilì
岛上住着许多美丽的仙女，最美丽
de jiù shì Hǎiluó gūniang.
的就是海螺姑娘。

Zài
在 hǎi de nà yī biān, zhùzhe yī gè qínláo de qīngnián, bùguǎn dàhǎi zhǎngcháo háishi

海的那一边，住着一个勤劳的青年，不管大海涨潮还是

luòcháo, tā tiāntiān qǐ de bǐ tàiyáng hái zǎo, jiàzhe xiǎochuán chūhǎi dǎyú. Hǎiluó

落潮，他天天起得比太阳还早，驾着小船出海打鱼。海螺

gūniang kàn zài yǎn li, xǐ zài xīnshang. Xiǎochuán shang chuánlái dòngtīng de gēshēng, Hǎiluó

姑娘看在眼里，喜在心上。小船上传来动听的歌声，海螺

gūniang gèngjiā xǐhuan zhège qīngnián le.

姑娘更加喜欢这个青年了。

一 **Yī** tiān, Qīngnián zhàolì chūhǎi dǎyú. Tā shúliàn de bǎ wǎng sā xiaqu, shōu shanglai.
天，青年 照例出海打鱼。他熟练地把 网 撒下去，收 上来。

Wǎng li yī tiáo yú yě méiyǒu, zhǐyǒu yī gè hǎiluó. Qīngnián bǎ hǎiluó rēnghuí
网 里一条鱼也没有，只有一个海螺。青年 把海螺 扔回

dàhǎi, kě dì-èr cì, dì-sān cì dǎ shanglai de háishi nà zhī hǎiluó.
大海，可第二次、第三次打 上来 的还是那只海螺。

nián yī tiáo yú dōu méi dǎzháo, jiù bǎ hǎiluó dàihuí zìjǐ nà pòlòu-bùkān de xiǎowū,

年一条鱼都没打着，就把海螺带回自己那破陋不堪的小屋，

fàng zài shuǐgāng li yǎngzhe.

放在 水缸 里 养着。

Qīng
青

Qīngnián gùbushàng zuòfàn, jiù jíjí de chūmén
年 顾不上 做饭，就 急急地 出门

qù shài yúwǎng. Děng tā shài wǎng huílai,
去 晒 鱼网。等 他 晒 网 回来，

fāxiàn zhuōzi shang yǐjing bǎimǎnle xiāngpēnpēn de
发现 桌子 上 已经 摆满了 香喷喷 的

fàn-cài. Qīngnián bùgǎn xiāngxìn zìjǐ de yǎnjing, hái
饭菜。 青年 不敢 相信 自己 的 眼睛，还

yǐwéi shì shuí jiā qǐngkè nòngcuòle dìfang.
以为 是 谁家 请客 弄错了 地方。

Dì-èr tiān yī dà zǎo, Qīngnián yòu chūhǎi dǎyú qù
第二天 一大早，青年 又 出海 打鱼去

le. Shuǐgāng li de hǎiluó hūrán fāchū yàoyǎn de
了。 水缸 里的 海螺 忽然 发出 耀眼 的

guānghuán, bù yīhuìr biànchéngle yī wèi piàoliang de
光环， 不一会儿 变成了 一位 漂亮 的

gūniang.
姑娘。

Hǎi
海

luó gūniang zǒudào zàotái biān, shēnghuǒ zuòfàn. Jiēzhe, tā yòu bǎ Qīngnián de

螺 姑娘 走到 灶台边， 生火 做饭。接着，她 又 把 青年 的

chuáng shōushi de zhěngzhěng-qíqí. Tā dǎkāi chuānghu, tīngdào Qīngnián chàngzhe

床 收拾 得 整整齐齐。 她 打开 窗户， 听到 青年 唱着

gē huílai le, jiù gǎnjǐn huídàole shuǐgāng li.

歌回来了，就 赶紧 回到了 水缸 里。

nián kàndào zìjǐ jiā li màozhe chuīyān, juéde hěn qíguài, jiù fēikuài de pǎojìn wū
年看到自己家里冒着炊烟，觉得很奇怪，就飞快地跑进屋

li, kě wū li méiyǒu biérén. Tā dǎkāi guōgài, fāxiàn guō li fàngzhe gāng zuòhǎo de
里，可屋里没有别人。他打开锅盖，发现锅里放着刚做好的

rètēngtēng de fàn-cài. Qīngnián fēicháng nàmèn, xiǎng chá gè shuǐluò-shíchū.
热腾腾的饭菜。青年非常纳闷，想查个水落石出。

Dì 第二天，青年 破例没有 出海打鱼，而是躲在屋外的棕榈树后一边编 鱼筐，一边注视着家里的 动静。青年 刚 编好一个筐，就发现小屋顶 上 又冒出了炊烟。

青年 赶快跑向 小屋，轻手轻脚 地走到 门口，猛地推开门。海螺 姑娘 来不及 躲藏，害羞地用 手 遮住自己的脸。

青年 友善 地问 姑娘 从哪里来。海螺 姑娘 面带微笑，温柔地说："我家住在海的那 一边，我叫海螺 姑娘。我 想 跟你做个朋友，一起劳动，一起 唱歌。" 青年 有些 为难地说："可是我的家里这样 穷，你……" 姑娘 诚恳 地说："我不求 穿红戴绿，也不求朱门大院，只求有个 真心 的 朋友。留下我吧，请不要把我赶走！"

海
Hǎi

luó gūniang hé Qīngnián kuàilè de zài yīqǐ shēnghuó. Tāmen zhuīzhú xīxì.

螺 姑娘 和 青年 快乐地在 一起 生活。 他们 追逐 嬉戏。

Gūniang cóng dìshang cǎi duǒ huār rēnggěi xiǎohuǒ, xiǎohuǒ zhuāqǐ téngtiáo dàngdào

姑娘 从 地上 采朵花儿 扔给 小伙, 小伙 抓起 藤条 荡到

shùshang, tiāole duǒ zuì piàoliang de dà hónghuā, chā zài gūniang de tóushang.

树上， 挑了朵最 漂亮 的大红花，插在 姑娘 的头 上。

12

海 Hǎi

luó gūniang hái hé Qīngnián yīqǐ chūhǎi dǎyú. Gūniang yáolǔ, xiǎohuǒ sāwǎng.
螺 姑娘 还和 青年 一起 出海 打鱼。姑娘 摇橹，小伙 撒网。

Xiǎohuǒ bǎ yú rēng guolai, gūniang jiǎnqǐ yú fàngjìn chuáncāng li. Zhè tiáo yú tài
小伙 把鱼 扔过来，姑娘 捡起鱼 放进　船舱　里。这条鱼太

dà le, xiǎohuǒ zhuā tóu, gūniang zhuā wěi, cái bǎ tā táijìn chuáncāng li ne!
大了，小伙 抓头，姑娘 抓尾，才把它 抬进　船舱　里呢！

yǎn dàole dì-sān nián. Yī tiān wǎnshang, Hǎiluó gūniang hé Qīngnián dōu shuìzháo
眼 到 了 第三 年。一天 晚上， 海螺 姑娘 和 青年 都 睡着
le. Tūrán guāqǐ yī zhèn kuángfēng, chuīkāile xiǎowū de chuānghu, chuīluòle
了。突然 刮起 一阵 狂风， 吹开了 小屋 的 窗户， 吹落了
Qīngnián shēnshang gài de yīshang. Hǎiluó gūniang jīngxǐng le, tā xiàchuáng jiǎnqǐ yīshang gěi
青年 身上 盖的衣裳。海螺 姑娘 惊醒 了，她 下床 捡起 衣裳 给
Qīngnián gàishàng, yòu qù guān chuānghu.
青年 盖上，又去关 窗户。

Fēng shízài tài dà le, Hǎiluó gūniang bùdàn méi bǎ chuānghu guānshàng, tóu shang de dà
风 实在 太大 了，海螺 姑娘 不但 没把 窗户 关上， 头 上 的 大
hónghuā fǎndào bèi chuīpǎo le. Tā pǎochū mén qù zhuī, bùqiǎo bèi Hǎishén niángniang pàilái
红花 反倒 被 吹跑 了。她 跑出 门 去 追，不巧 被 海神 娘娘 派来
zhǎo tā de Hǎi'ōu fāxiànle. Hǎi'ōu diāoqǐ huār huíqu bàoxìn.
找 她 的 海鸥 发现了。海鸥 叼起 花儿 回去 报信。

Hǎiluó zhuīdào hǎibiān, kào zài yánshí shang. Méi guò duōjiǔ, Hǎi'ōu jiù shāoláile Hǎishén
海螺 追到 海边，靠在 岩石 上。没过 多久，海鸥 就 捎来了 海神
niángniang de kǒuxìn, xiàn Hǎiluó gūniang tiānliàng qián huídào shānhú xiāndǎo.
娘娘 的 口信，限 海螺 姑娘 天亮 前 回到 珊瑚 仙岛。

Hǎi
海

luó gūniang huídào xiǎowū li, dāidāi de wàngzhe shúshuì de Qīngnián, guòqù de
螺 姑娘 回到 小屋里，呆呆地 望着 熟睡 的 青年，过去 的

xìngfú rìzi yī mù mù shǎnxiàn zài yǎnqián. Xiǎngdào Hǎishén niángniang jiùyào bǎ
幸福日子一幕幕 闪现 在眼前。 想到 海神 娘娘 就要把

tāmen fēnkāi, tā jīnbuzhù kūle chūlai.
他们分开，她禁不住哭了出来。

青 Qīng

nián jīngxǐng le, wèn Hǎiluó gūniang wèishénme shāngxīn. Hǎiluó gūniang shuō:
年 惊醒 了，问 海螺 姑娘 为什么 伤心。海螺 姑娘 说：

"Bùyào wèn. Zhèli shì nǐ de yīfu, guō li yǒu nǐ chī de mǐfàn. Bié xiǎng wǒ, jiù
"不要 问。这里 是 你的 衣服，锅里 有 你 吃 的 米饭。别 想 我，就

dāngméiyǒuguo wǒ zhège rén."
当 没有过 我 这个人。"

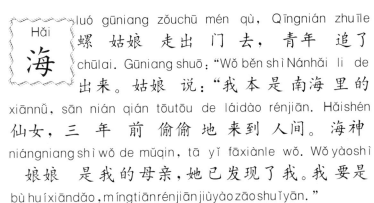

luó gūniang zǒuchū mén qù, Qīngnián zhuīle
螺 姑娘 走出 门 去, 青年 追了
chūlai. Gūniang shuō: "Wǒ běn shì Nánhǎi li de
出来。姑娘 说:"我 本 是 南海 里 的
xiānnǚ, sān nián qián tōutōu de láidào rénjiān. Hǎishén
仙女, 三 年 前 偷偷 地 来到 人间。海神
niángniang shì wǒ de mǔqin, tā yǐ fāxiànle wǒ. Wǒ yàoshì
娘娘 是 我 的 母亲,她 已 发现了 我。我 要是
bù huí xiāndǎo, míngtiān rénjiān jiùyào zāo shuǐyān."
不回 仙岛, 明天 人间 就要 遭 水淹。"

　　Qīngnián jǐnjǐn de zhuāzhù gūniang, kěnqiú tā bùyào
　　青年 紧紧地 抓住 姑娘,恳求 她 不要
zǒu. Hǎiluó shuō: "Zhǐ yǒu yī tiáo màoxiǎn de lù, kě nà
走。海螺 说:"只有 一 条 冒险 的 路,可 那
kǔtou pà nǐ bùnéng rěnshòu." Qīngnián jiāndìng de shuō:
苦头 怕 你 不能 忍受。"青年 坚定 地 说:
"Shénme fēngxiǎn wǒ dōu bù pà, shénme kǔtou wǒ dōu néng
"什么 风险 我 都 不怕,什么 苦头 我 都 能
rěnshòu!"
忍受!"

青 Qīng

nián zhàozhe Hǎiluó de zhǔfù, liányè jiàzhe
年 照着 海螺 的 嘱咐，连夜 驾着
xiǎochuán shǐjìnle qīhēi de dàhǎi。Bàofēng
小船 驶进了 漆黑 的 大海。暴风
jùlàng cháo Qīngnián pū guolai。Bàofēng shuō："Nǐ bù huítóu,
巨浪 朝 青年 扑过来。暴风 说："你 不回头，
wǒ jiù bǎ nǐ de zuǐba chuīwāi。"Jùlàng shuō："Nǐ bù huítóu,
我 就把 你的 嘴巴 吹歪。"巨浪 说："你 不回头，
wǒ jiù bǎ nǐ de bízi zhuàng xialai。"Qīngnián shuō：
我 就把 你的 鼻子 撞 下来。"青年 说：
"Nǐmen dǎng wǒ de qùlù, wǒ jiù bǎ dàhǎi diào qilai！"
"你们 挡 我 的 去路，我 就把 大海 吊 起来！"

Míwù zhōng hūrán chuánlái Hǎishén niángniang nǎonù
迷雾 中 忽然 传来 海神 娘娘 恼怒
de shēngyīn："Nǐ yào shénme, wǒ gěi nǐ shénme, zhǐshì
的 声音："你 要 什么，我 给 你 什么，只是
bùyào wàngxiǎng wǒ de Hǎiluó。Huíqu ba, bù mǎnzú zài lái
不要 妄想 我的 海螺。回去吧，不满足 再来
jiàn wǒ！"Shuōbà, dàlàng bǎ Qīngnián lián rén dài chuán juǎnle
见我！"说罢，大浪 把 青年 连人 带 船 卷了
huíqu。
回去。

青 Qīng

niánhuídào jiā li, jiā li yǐjing biànle
年 回到 家里，家里 已经 变了
yàng. Dǐ'ǎi de xiǎowū biànchéngle
样。 低矮 的 小屋 变成了
jīnbì-huīhuáng de dàshà, wū li bǎimǎnle jīngměi
金碧辉煌 的 大厦，屋里 摆满了 精美
de jiājù, hái yǒu yī guàn jīn-yín cáibǎo. Kěshì
的 家具，还有 一 罐 金银 财宝。可是
Hǎiluó liǎn shang méiyǒule xiàoróng, tā gàosu
海螺 脸 上 没有了 笑容，她 告诉
Qīngnián, zhèxiē dōu shì Hǎishén niángniang gěi
青年，这些 都是 海神 娘娘 给
de: "zhǐyào nǐ ràng wǒ huíqu, nǐ jiù huì yǒu
的："只要 你 让 我 回去，你 就 会 有
xiǎng bù wán de fú!"
享 不 完 的 福！"

Qīngnián tīfānle jīn-yín cáibǎo, yòu jià
青年 踢翻了 金银 财宝，又 驾
chuán chōng xiàng dàhǎi.
船 冲 向 大海。

Jù
巨

làng zhuàngsuìle xiǎochuán, Qīngnián bàoqǐ yī kuài mùbǎn, jiāndìng de huá xiàng
浪 撞碎了 小船， 青年 抱起一块木板，坚定 地划 向

xiāndǎo. tā bèi chōngdàole ànshang. Kōngzhōng yòu chuánlái Hǎishén niángniang
仙岛。他被 冲到了 岸上。 空中 又 传来 海神 娘娘

nǎonù de shēngyīn: "Nǐ bù bǎ Hǎiluó huángěi wǒ, hái gǎn zài lái chuǎng wǒ de xiāndǎo. Nǐ
恼怒的 声音："你不把海螺 还给 我，还敢再来 闯 我的仙岛。你

yàoshì xián wǒ gěi de tài shǎo, nǐ yào duōshǎo wǒ jiù gěi duōshǎo!" Qīngnián qìfèn de shuō:
要是 嫌我给得太少，你要 多少 我就给多少！" 青年 气愤地说：

"Shuō shénme gěi duō gěi shǎo, wǒ yòu bù shì lái zuò mǎimài. Zhǐyào bǎ Hǎiluó liúxià, jīn shān yín
"说 什么给多给少，我又不是来做买卖。只要把海螺留下，金 山 银

shù wǒ dōu bù yào!" Hǎishén niángniang shuō: "Hǎokàn de gūniang yǒu hěn duō, zhǐ shì bùnéng
树我都不要！"海神 娘娘 说："好看的 姑娘 有很多，只是不能

gěi nǐ Hǎiluó. Huíqu ba, bù mǎnzú zài lái zhǎo wǒ!"
给你海螺。回去吧，不满足再来 找 我！"

Qīng
青

nián huídào jiā li, fāxiàn Hǎiluó gūniang bùzài niánqīng piàoliang, biànchéngle
年 回到 家里，发现 海螺 姑娘 不再 年轻 漂亮， 变成了
lǎotàipó. Tā pà Qīngnián shòu gèng dà de zhémó, qǐngqiú Qīngnián fàng tā huíqu.
老太婆。她怕 青年 受 更 大的 折磨， 请求 青年 放 她回去。
"Bù, bù!" Qīngnián jiāndìng de shuō, "Wǒ juébù hé nǐ fēnlí. Nǎpà Hǎishén niángniang de
"不，不!" 青年 坚定 地 说，"我 绝不 和你 分离。哪怕 海神 娘娘 的
fǎlì wúbiān, wǒ yě yào zài qù hé tā jiǎnglǐ!"
法力无边，我也要再去和她讲理!"

Qīng 青

nián màozhe bàofēngyǔ, tiào jìn dàhǎi, yóu xiàng xiāndǎo. Jùlàng chōng guolai bǎ tā

年 冒着 暴风雨，跳进大海，游 向 仙岛。巨浪 冲 过来把他

dǎfān, tā fānguòshēn jìxù xiàng qián yóu qù.

打翻，他翻过 身继续 向 前游去。

青

nián zǒushàng shānhú xiāndǎo, shuāngshǒu chāyāo, shífēn nǎonù. Hǎishén
年 走上 珊瑚 仙岛， 双手 叉腰，十分 恼怒。 海神
niángniang dào shì hěn kèqi, liǎn shang lùchūle déyì de xiàoróng. Tā shuō:
娘娘 倒是 很 客气， 脸 上 露出了 得意的 笑容。 她 说：
"Háiluó yǐjing lǎo le, liúzhe bù pà rén xiàohua? Wǒ yǒu chéngqiān-shàngwàn de měinǚ, yóu nǐ
"海螺已经老了，留着不怕人 笑话？我有 成千上万 的美女，由你
lái xuǎn, rèn nǐ lái tiāo." Shuōzhe, Yí gè zhǎng de fēicháng xiàng Hǎiluó de xiānnǚ chūxiàn zài
来 选，任你来 挑。"说着， 一个 长 得 非常 像 海螺的仙女 出现 在
Qīngnián yǎnqián, Qīngnián yǐwéi shì Hǎiluó huídàole xiāndǎo, Dàn tā hěnkuài jiù yìshí dào zhè
青年 眼前， 青年 以为是海螺回到了 仙岛， 但他很快就意识到这
shì Hǎishén niángniang de guǐjì.
是 海神 娘娘 的诡计。

Qīng 青

nián nùqì-chōngchōng, Hǎishén niángniang dào
年 怒气冲冲, 海神 娘娘 倒
bìng bù jiànguài, shuō: "Nǐ kàn zhèxiē xiānnǚ nǎ
并 不 见怪, 说: "你 看 这些 仙女 哪
yī gè bǐ Hǎiluó chà, wèishénme yīdìng yào xǐhuan niánlǎo de
一个 比 海螺 差, 为什么 一定 要 喜欢 年老 的
Hǎiluó ne?" Qīngnián dàshēng de shuō: "Shuí yě bǐ bù shàng
海螺 呢?" 青年 大声 地 说: "谁 也 比 不 上
Hǎiluó! Zhǐyào nǐ bù zhémó wǒ de Hǎiluó, wǒ bùguǎn tā
海螺! 只要 你 不 折磨 我 的 海螺, 我 不管 她
niánqīng háishi niánlǎo!"
年轻 还是 年老!"

shén niángniang xiàoróng-mǎnmiàn, zànyáng zhège zhēnxīn de Qīngnián: "Nǐ yíng

神 娘娘 笑容满面， 赞扬 这个 真心的 青年："你赢

le, nǐ yíng le! Wǒ zànměi nǐ de yǒnggǎn hé jiāndìng, zànměi nǐ duì Hǎiluó de

了，你赢了! 我 赞美你的 勇敢 和 坚定，赞美你对海螺的

zhēnchéng! Wǒ xiāngxìn nǐmen huì yǒng bù biànxīn."

真诚! 我 相信 你们会 永不变心。"

Hǎishén niángniang mìng xiānnǚ bǎ nà duǒ dà hónghuā jiāohuán gěi Qīngnián. Hǎi'ōu diāo qǐ

海神 娘娘 命仙女把那朵大 红花 交还 给 青年。海鸥叼起

xiānhuā, fēi xiàng Qīngnián jiā li.

鲜花，飞 向 青年 家里。

青
Qīng

nián huídào jiā li, jīnbì-huīhuáng de dàshà yòu
年 回到 家里，金碧辉煌 的 大厦 又
biànhuíle dǐ'ǎi de xiǎowū, mǎntóu báifà de
变回了 低矮 的 小屋，满头 白发 的
Hǎiluó yě huīfùle yuánlái de múyàng. Hǎiluó yíngle chūlai,
海螺 也 恢复了 原来 的 模样。海螺 迎了 出来，
Qīngnián chōngle shàngqu, liǎng rén jǐnjǐn de yōngbào zài
青年 冲了 上去，两 人 紧紧地 拥抱 在
yīqǐ. Dà hónghuā cóng Hǎi'ōu zuǐ li luòle xiàlai, Qīngnián
一起。大 红花 从 海鸥 嘴里 落了 下来，青年
xiǎoxīn de jiēzhù, bǎ tā chā zài Hǎiluó de tóushang.
小心 地 接住，把它 插在 海螺 的 头 上。

Cóngcǐ, Qīngnián hé Hǎiluó guòshàngle xìngfú de
从此，青年 和 海螺 过上了 幸福 的
shēnghuó.
生活。

策　　划：鞠瑞瑾、陈红军
责任编辑：陈红军、陈乐佳

上海美影经典故事丛书
金色的海螺

童趣出版有限公司编
人民邮电出版社出版发行
北京市崇文区夕照寺街14号(100061)

北京慕来印刷有限公司印制
新华书店总店北京发行所经销
开本：889×1194　1/16　印张:2.25
2001年3月第1版　2003年9月第3次印刷
字数：10千　印数：15,001-20,000 册
ISBN7-115-09088-2/G·689
本册定价：14.80元　五册定价：74.00元